M000234329

lait et miel

p. 37
p. 41
p. 90
p. 102
p. 154
p. 166
p. 173
p. 181
p. 183

lait et
miel

rupi kaur

traduit de l'anglais (états-unis) par sabine rolland

CHARLESTON

Titre original :
milk and honey

lait et miel a été publié pour la première fois sous le titre *milk and honey* aux États-Unis par Andrews McMeel Publishing, une marque de la société Andrews McMeel Universal, Kansas City, Missouri, États-Unis.

© 2015 by Rupi Kaur.
Tous droits réservés.
© Charleston, une marque des éditions Leduc.s, 2017
pour la traduction française
ISBN : 978-2-266-28280-2
Dépôt légal : mars 2019

pour
les bras
qui me tiennent

mon cœur m'a réveillée la nuit dernière
il pleurait
comment puis-je t'aider lui demandai-je
mon cœur m'a répondu
écris ce livre

sommaire

souffrir

pourquoi t'est-il si facile
d'être bienveillante envers les gens me demanda-t-il

du lait et du miel coulèrent
de mes lèvres alors que je lui répondis

parce que les gens n'ont pas
été bienveillants envers moi

le premier garçon qui m'a embrassée
tenait mes épaules
comme le guidon
de la première bicyclette
qu'il ait jamais conduite
j'avais cinq ans

il avait l'odeur de
l'être affamé sur ses lèvres
une odeur rappelant son père
se repaissant de sa mère à 4 heures du matin

il était le premier garçon
à m'apprendre que mon corps était
à donner à ceux qui le voulaient
et que je ne pouvais pas
ne pas me sentir pleine

et mon dieu
je me suis sentie
aussi vide que sa mère à 4 heures 25 du matin

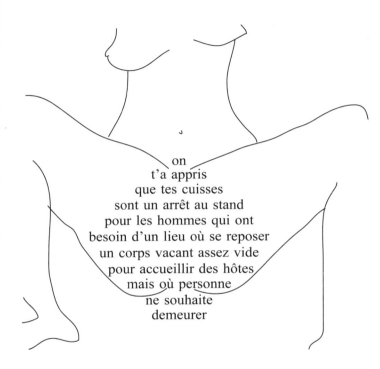

on
t'a appris
que tes cuisses
sont un arrêt au stand
pour les hommes qui ont
besoin d'un lieu où se reposer
un corps vacant assez vide
pour accueillir des hôtes
mais où personne
ne souhaite
demeurer

c'est ton sang
dans mes veines
dis-moi comment je suis
censée oublier

le thérapeute met
la poupée devant toi
elle est de la taille des petites filles
que tes oncles aiment toucher

montrez-moi l'endroit où étaient ses mains

tu indiques l'endroit entre ses cuisses
cet endroit de toi qu'il tripotait
comme un aveu

comment vous sentez-vous

tu sors la boule
qui était dans ta gorge
avec tes dents
et tu dis parfait
vraiment anesthésiée

– séances de milieu
de semaine

il était censé être
le premier amour masculin de ta vie
tu le cherches encore
partout   ← damn

– *père*

tu avais si peur
de ma voix
j'ai décidé
d'en avoir peur aussi

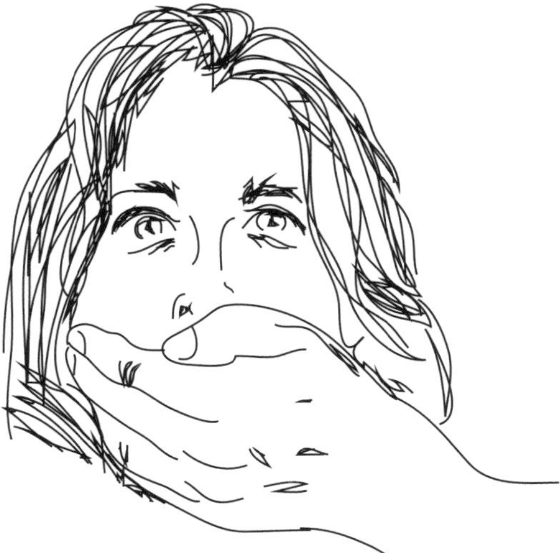

elle était une rose
entre les mains de ceux
qui n'avaient pas l'intention
de la garder

chaque fois que tu
parles à ta fille
tu lui hurles après
par amour
tu lui apprends à confondre
colère et bienveillance
ce qui semble être une bonne idée
jusqu'à ce qu'elle grandisse pour
faire confiance à des hommes qui la
blessent
parce qu'ils te ressemblent
tellement

– aux pères qui ont des filles

j'ai eu des rapports sexuels dit-elle
mais je ne sais pas
ce que veut dire
faire l'amour

si j'avais su
à quoi ressemblait la sécurité
j'aurais passé moins de temps
à tomber dans des bras
qui n'en étaient pas

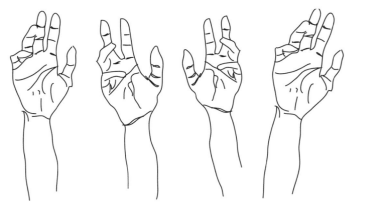

le sexe réclame le consentement des deux
si l'une des personnes est allongée là sans rien faire
parce qu'elle n'est pas prête
ou n'en a pas envie
ou simplement ne veut pas
mais que l'autre pénètre son corps à elle
ce n'est pas de l'amour
c'est du viol

l'idée que nous sommes
si capables d'amour
mais choisissons pourtant
d'être toxiques

il n'y a pas de plus grande illusion au monde
que l'idée selon laquelle une femme
déshonore sa famille
si elle tente de garder son cœur
et son corps en sécurité

mes jambes
au sol
avec tes pieds
et exigé
que je me lève

le viol va
te déchirer
en deux

mais il
ne va pas
t'achever

tu as une tristesse
qui vit dans des endroits
où la tristesse ne devrait pas vivre

une fille
ne devrait pas
mendier une relation
à son père

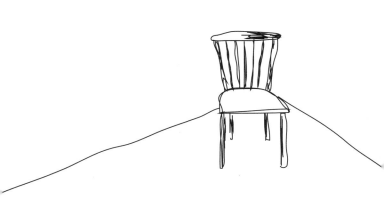

essayer de me convaincre
que j'ai le droit
de prendre ma place
c'est comme écrire
de la main gauche
alors que je suis née
pour me servir de la droite

– l'idée de me faire toute petite est héréditaire

tu me dis de me taire parce que
mes opinions me rendent moins belle
mais je n'ai pas été faite
avec un feu au creux du ventre
pour être éteinte
je n'ai pas été faite
avec une légèreté sur la langue
pour être facile à avaler
j'ai été faite lourde
moitié lame moitié soie
difficile à oublier
et pas facile à comprendre

il la vide de l'intérieur
avec ses doigts
comme s'il raclait
l'intérieur d'un cantaloup
pour ne pas en laisser une miette

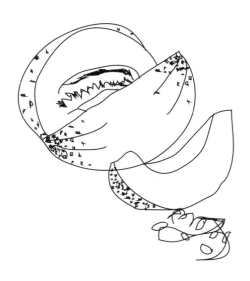

ta mère
a l'habitude
d'offrir plus d'amour
que tu ne peux en porter

ton père est absent

tu es une guerre
la frontière entre deux pays
les dommages collatéraux
le paradoxe qui les unit
mais les sépare aussi

sortir du ventre de ma mère
fut mon premier acte de disparition
apprendre à rapetisser pour une famille
qui aime ses filles invisibles
fut le second
l'art d'être vide est simple
crois-les quand ils disent
que tu n'es rien
répète-le à toi-même
comme un vœu
je ne suis rien
je ne suis rien
je ne suis rien
alors souvent
la seule raison qui te fait dire
que tu es toujours en vie c'est
ta cage thoracique qui se soulève

— *l'art d'être vide*

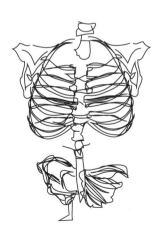

tu ressembles à ta mère

je crois que je porte bien sa tendresse

vous avez les mêmes yeux toutes les deux

nous sommes toutes les deux si épuisées

et les mains

nous avons les mêmes doigts qui se flétrissent

mais cette rage ta mère ne porte pas cette colère

tu as raison
cette rage est la seule chose
qui est de mon père

(hommage à la poétesse warsan shire et à son poème *inheritance*)

quand ma mère ouvre la bouche
pour discuter au dîner
mon père fourre le mot silence
entre ses lèvres et lui dit
de ne jamais parler la bouche pleine
c'est ainsi que les femmes de ma famille
ont appris à vivre la bouche fermée

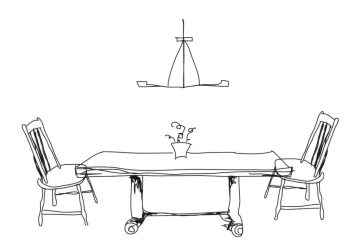

nos genoux
écartés de force
par les cousins
et les oncles
et les hommes
nos corps touchés
par toutes les mauvaises personnes
que même dans un lit pourtant sûr
nous avons peur

père. tu appelles toujours pour ne rien dire de
spécial. tu demandes ce que je suis en train de faire
où je suis et quand le silence s'étire comme une
vie entière entre nous je me dépêche de trouver des
questions pour poursuivre la conversation. ce que
j'ai surtout envie de dire c'est que j'ai compris que
ce monde t'avait brisé. ça a été si dur pour toi. je
ne t'en veux pas de ne pas savoir comment rester
doux avec moi. parfois je veille tard en pensant à
tous les endroits où tu fais mal et que tu ne prendras
jamais la peine de mentionner. je viens du même
sang douloureux. du même squelette tellement en
mal d'attention que je m'effondre sur moi-même.
je suis ta fille. je sais que l'échange de banalités est
le seul moyen que tu connaisses pour me dire que
tu m'aimes. parce que c'est le seul moyen que je
connaisse pour te le dire.

tu me rentres dedans avec deux doigts et c'est un
choc. c'est comme du caoutchouc qui frotte contre
une plaie ouverte. je n'aime pas. tu pousses de
plus en plus vite. mais je ne sens rien. tu cherches
à déceler une réaction sur mon visage alors je
commence à simuler ces femmes nues dans les
vidéos que tu regardes quand tu penses que personne
ne te voit. j'imite leurs gémissements. faux et
affamés. tu demandes si c'est bon et je réponds oui
aussitôt comme dans un souffle préenregistré. je fais
semblant. tu ne le remarques pas.

le problème d'avoir
un parent alcoolique
c'est qu'un parent alcoolique
n'existe pas

c'est simplement
un alcoolique
qui n'a pas pu rester sobre
le temps d'élever ses enfants

je ne sais pas dire si ma mère est
terrorisée ou amoureuse
de mon père tout cela
se ressemble

je tressaille quand tu me touches
j'ai peur que ce soit lui

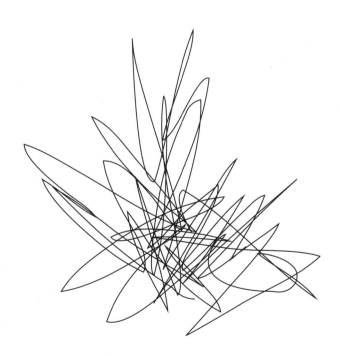

aimer

quand ma mère était enceinte
de son deuxième enfant j'avais quatre ans
je pointai mon doigt vers son ventre gonflé
troublée l'air interrogateur
ma mère était devenue si ronde en si peu de temps
mon père me prit dans ses bras tronc d'arbre et
me dit que le plus proche de dieu sur cette terre
est le corps d'une femme c'est l'origine de la vie et
cet adulte me disant quelque chose
d'aussi puissant alors que j'étais si jeune
m'a fait voir l'univers entier
reposant aux pieds de ma mère

je fais tant d'efforts
pour comprendre
comment quelqu'un
peut verser
toute son âme
tout son sang
toute son énergie
dans quelqu'un
sans rien vouloir
en retour

– je vais devoir attendre d'être mère

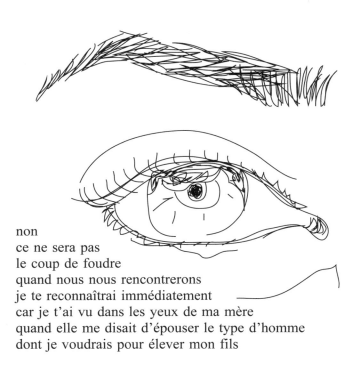

non
ce ne sera pas
le coup de foudre
quand nous nous rencontrerons
je te reconnaîtrai immédiatement
car je t'ai vu dans les yeux de ma mère
quand elle me disait d'épouser le type d'homme
dont je voudrais pour élever mon fils

toutes les révolutions
commencent et finissent
avec ses lèvres

que suis-je pour toi me demande-t-il
je pose mes mains sur ses genoux
et murmure *tu*
es tout l'espoir
que j'aie jamais eu
sous forme humaine

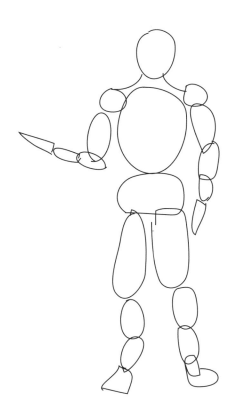

ce que j'aime le plus chez toi c'est ton odeur
tu sens
la terre
les herbes
les jardins
un peu plus
l'humain que les autres

je sais que je
devrais m'effondrer
pour de meilleures raisons
mais avez-vous vu
ce garçon
il fait capituler
le soleil tous
les soirs

tu es la ligne ténue
entre la foi et
l'attente aveugle

— *lettre à mon futur amour*

rien n'est plus sécurisant
que le son de ton être
qui lit pour moi à haute voix

– *le petit ami parfait*

il posa ses mains
sur mon esprit
avant de chercher
ma taille
mes hanches
ou mes lèvres
il n'a pas commencé
par me dire
que j'étais belle
mais que j'étais
exquise

– sa façon de me toucher

j'apprends
à l'aimer
en m'aimant

il dit
je suis désolé je ne suis pas quelqu'un de facile à
désirer
je l'ai regardé surprise
qui a dit que je voulais du facile
je n'ai pas envie du facile
j'ai envie du sacrément difficile

rien qu'à la pensée de toi
j'ai mes jambes qui s'écartent
tel un chevalet avec une toile
qui supplie qu'on vienne la peindre

je suis prête pour toi
j'ai toujours
été
prête pour toi

— *la première fois*

je ne veux pas de toi
pour remplir mes parties vides
je veux être pleine par moi-même
je veux être pleine
à pouvoir éclairer une ville entière
et après je veux de toi en moi
parce que nous deux ensemble
pouvons y mettre le feu

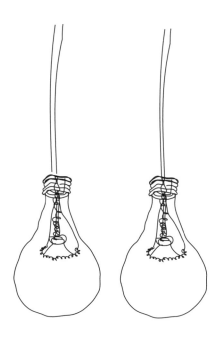

l'amour viendra
et quand l'amour viendra
l'amour te tiendra
l'amour criera ton nom
et tu fondras
parfois cependant
l'amour te fera souffrir
mais toujours sans le vouloir
l'amour ne trichera pas
car l'amour sait que la vie
a déjà été assez difficile

je mentirais si je disais
que tu me laisses sans voix
en vérité tu rends ma
langue si défaillante qu'elle oublie
dans quelle langue parler

il me demande ce que je fais
je lui dis que je travaille pour une petite entreprise
qui fabrique des emballages pour...
il m'arrête au beau milieu de ma phrase
non pas ce que tu fais pour régler tes factures
ce qui te rend dingue
ce qui t'empêche de dormir

je lui dis *j'écris*
il me demande de lui montrer quelque chose
je pose le bout de mes doigts
à l'intérieur de son avant-bras
et j'effleure sa peau
en descendant jusqu'à son poignet
il a la chair de poule
je vois sa bouche se serrer
ses muscles se tendre
ses yeux plonger dans les miens
comme si c'était à cause de moi
qu'ils clignaient
je détourne mon regard
juste au moment où
il se penche vers moi
je recule

alors c'est ce que tu fais
tu tiens en haleine
mes joues s'empourprent
et je lui souris timidement
en lui avouant
je ne peux pas m'en empêcher

tu n'étais peut-être pas mon premier amour
mais tu étais l'amour qui a rendu
toutes les autres amours
insignifiantes

tu m'as touchée
sans même
me toucher

comment fais-tu pour transformer
un feu de forêt comme moi
si doucement que je me transforme
en cours d'eau

tu as l'apparence et l'odeur
du miel et de l'absence de douleur
laisse-moi y goûter

ton nom est
la plus forte
connotation
positive et négative
dans n'importe quelle langue
soit il m'éclaire
soit il me fait souffrir pendant des jours

tu parles trop
murmure-t-il à mon oreille
je peux imaginer meilleur usage de cette bouche

c'est ta voix
qui me déshabille

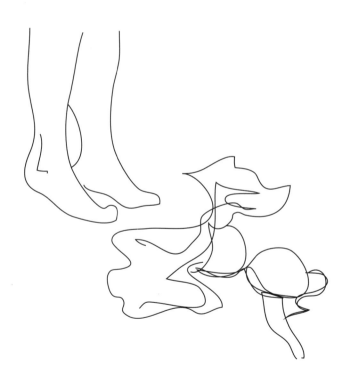

mon nom se prononce si bien
en baiser profond

tu enroules mes cheveux
autour de tes doigts
et tires doucement
c'est ta façon
de faire de la musique
avec mes notes

– *préliminaires*

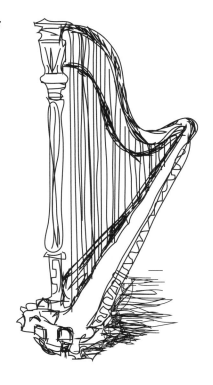

des jours
comme celui-là
j'ai besoin que tu
fasses courir tes doigts
dans mes cheveux
et me parles doucement

– *toi*

je veux que tes mains
ne tiennent
pas mes mains
que tes lèvres
n'embrassent
pas mes lèvres
mais d'autres lieux

j'ai besoin de quelqu'un
qui connaît la lutte
aussi bien que moi
quelqu'un
prêt à tenir mes pieds sur ses genoux
les jours où c'est trop difficile d'être debout
quelqu'un
qui me donne exactement ce dont j'ai besoin
avant même que je sache que j'en ai besoin
quelqu'un
qui m'entend même quand je ne parle pas
c'est le type de compréhension
que je réclame

— le type d'amoureux dont j'ai besoin

tu prends et poses ma main
entre mes cuisses
et murmures
fais danser pour moi ces jolis petits doigts

– *numéro en solo*

nous nous sommes disputés plus que de raison. à
propos de choses dont aucun de nous ne se souvient
ni se préoccupe parce que c'est notre manière
d'éviter les questions plus importantes. au lieu de
nous demander pourquoi nous ne nous disons plus je
t'aime aussi souvent qu'avant. nous nous disputons à
propos de choses comme : qui était censé se lever et
éteindre les lumières en premier. ou qui était supposé
faire réchauffer la pizza surgelée après le travail.
frapper les zones les plus vulnérables de l'autre.
nous sommes comme des doigts sur des épines chéri.
nous savons exactement là où ça fait mal.

et tout est sur la table ce soir. comme la fois où tu
as murmuré un nom qui n'était pas le mien dans ton
sommeil. ou la semaine dernière quand tu m'as dit
que tu travaillais tard. alors j'ai appelé à ton travail
mais on m'a dit que tu étais déjà parti depuis plusieurs
heures. où étais-tu pendant ces quelques heures.

je sais. je sais. tes excuses tiennent parfaitement la
route. je m'emporte sans raison valable et je finis
par me mettre à pleurer. mais tu t'attendais à quoi
d'autre chéri. je t'aime tant. je suis désolée d'avoir
pensé que tu me mentais.

c'est quand tu te tiens la tête dans les mains énervé
et contrarié. moitié en train de me supplier d'arrêter.
moitié las de tout ça. le poison dans nos bouches a
fait des trous dans nos joues. nous paraissons moins
vivants qu'auparavant. nos visages ont perdu des
couleurs. mais ne te fais pas d'illusions. même si les

choses tournent mal nous savons tous les deux que
tu veux me clouer au sol.

surtout quand je crie si fort que notre dispute réveille
les voisins. et ils accourent à la porte pour nous
sauver. chéri ne l'ouvre pas.

au contraire. allonge-moi. ouvre-moi comme une
carte. et avec ton doigt trace les endroits que tu
veux encore ****. embrasse-moi comme si j'étais
le centre de gravité et que tu tombes en moi comme
si mon âme était le point focal de la tienne. et
comme si ta bouche n'embrassait pas ma bouche
mais d'autres endroits. mes cuisses vont s'écarter par
habitude. et c'est là que je te fais entrer. bienvenue à
toi. tu es chez toi.

quand toute la rue regarde par la fenêtre en se
demandant qui fait tout ce vacarme. et les voitures
de pompiers s'amènent pour nous sauver sans
pouvoir distinguer si ces flammes sont nées de notre
colère ou de notre passion. je vais sourire. rejeter ma
tête en arrière. me cambrer comme une montagne
que tu veux couper en deux. chéri lèche-moi.

comme si ta bouche avait le don de lire et que je
sois ton livre favori. trouve la page que tu préfères
dans la douceur de mon entrecuisse et lis-la
attentivement. avec fluidité aisance enthousiasme. ne
t'avise pas d'omettre un seul mot. et je jure que le
dénouement va être exquis. les derniers mots vont
jaillir. couler dans ta bouche. et quand tu n'en peux

plus assieds-toi. parce que c'est mon tour de jouer de la musique les genoux au sol.

mon ange. c'est ainsi que nous nous faisons parler mutuellement. par coups de langue. c'est ainsi que nous conversons. c'est ainsi que nous nous réconcilions.

— *ainsi que nous nous réconcilions*

rompre

je me mets toujours
dans ce pétrin
je le laisse toujours
me dire que je suis belle
en le croyant à moitié
je saute toujours
en pensant
qu'il va me rattraper
en pleine chute
je suis désespérément
amoureuse et rêveuse
et je le paierai de ma vie

quand ma mère me dit que je mérite mieux
je prends aussitôt ta défense par habitude
il m'aime toujours je crie
elle me regarde d'un air défaitiste
de cette façon dont un parent regarde son
enfant
lorsqu'il sait que c'est le genre de douleur
contre lequel il ne peut rien
et dit
ça ne signifie rien pour moi son amour
s'il n'est pas fichu d'en faire quoi que ce soit

tu étais si distant
j'en ai oublié que tu étais là

tu disais. s'il doit en être ainsi. le destin fera en sorte
que nous nous retrouvions. pendant une fraction de
seconde je me demande si tu es naïf à ce point. si
tu crois réellement que le destin fonctionne comme
ça. comme s'il vivait dans le ciel et nous regardait
d'en haut. comme s'il avait cinq doigts et passait
son temps à nous placer comme des pièces aux
échecs. comme si ce n'étaient pas les choix que nous
faisions. qui t'a appris ça. dis-moi. qui t'a convaincu.
qu'il t'a été donné un cœur et un esprit que ce n'est
pas à toi d'utiliser. que tes actions ne déterminent
pas ce qu'il va advenir de toi. je veux crier *c'est
nous espèce d'idiot. nous sommes les seuls à pouvoir
faire en sorte de nous retrouver*. mais je reste assise
sans un mot. souriant doucement pensant à travers
mes lèvres tremblantes. n'est-ce pas tragique. quand
tu vois les choses si clairement mais que l'autre ne
les voit pas.

ne confonds pas
le sel et le sucre
s'il veut
être avec toi
il le sera
c'est aussi simple que ça

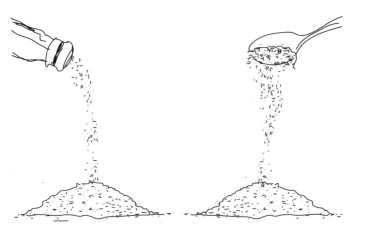

il murmure seulement *je t'aime*
en glissant ses mains
vers la ceinture
de ton pantalon

c'est là que tu dois
comprendre la différence
entre vouloir et avoir besoin de
tu peux vouloir ce garçon
mais tu n'en as pas besoin

tu étais irrésistiblement belle
mais hérissée d'épines lorsque je m'approchai

la femme qui viendra après moi
sera une version pirate de qui je suis.
elle va essayer d'écrire des poèmes pour toi
pour effacer ceux que j'ai enregistrés sur tes lèvres
mais ses vers ne pourront jamais te donner
des coups de poing dans le ventre comme les miens.
elle va ensuite essayer de faire l'amour à ton corps.
mais elle ne léchera, ne caressera ou ne sucera
jamais comme moi.
elle sera une triste remplaçante de la femme que tu
as laissée tomber.
rien de ce qu'elle fera ne t'excitera et ça la brisera.
quand elle sera lasse de se briser pour un homme
qui ne rend pas ce qu'il reçoit elle me reconnaîtra
dans tes paupières la fixant avec pitié et ça la touchera.
comment peut-elle aimer un homme occupé.

la prochaine fois
que tu auras ton café noir
tu goûteras l'état d'amertume
dans lequel il t'a laissée
ça te fera pleurer
mais tu n'arrêteras jamais de boire
tu préférerais avoir ses côtés les plus
sombres
que ne rien avoir

plus que tout
je veux te sauver
de moi-même

tu as passé suffisamment de nuits
avec sa virilité repliée à l'intérieur de tes cuisses
pour oublier à quoi ressemble la solitude

tu murmures
je t'aime
ce que tu veux dire est
je ne veux pas que tu partes

c'est le problème
de l'amour
il marine tes lèvres
jusqu'à ce que
le seul mot
dont ta bouche
se souvient
est son nom

ça doit faire mal de savoir
que je suis ton
plus beau
regret

je ne suis pas partie parce que
j'ai cessé de t'aimer
je suis partie parce que
plus je restais moins
je m'aimais

tu n'as pas à tout faire
pour qu'ils te désirent
ils doivent te désirer
par eux-mêmes

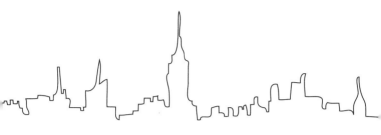

pensais-tu que j'étais une ville
assez grande pour une escapade du week-end
je suis la petite ville qui l'entoure
celle dont tu n'as jamais entendu parler
mais que tu traverses toujours
il n'y a pas de néons dans cette ville
pas de gratte-ciel ni de statues
mais il y a le tonnerre
car je fais trembler les ponts
je ne suis pas une pute je suis de la confiture maison
suffisamment consistante
la chose la plus douce que tes lèvres vont toucher
je ne suis pas des sirènes de police
je suis le crépitement d'une cheminée
je te brûlerais mais tu ne pourrais pas
détacher tes yeux de moi
car je serais si belle en le faisant
tu rougirais
je ne suis pas une chambre d'hôtel je suis la maison
je ne suis pas le whisky que tu veux
je suis l'eau dont tu as besoin
ne viens pas ici avec des attentes
en essayant de faire de moi des vacances

celui qui arrivera après toi
me rappellera que l'amour est
censé être doux

il aura le goût
de la poésie
que j'aimerais pouvoir écrire

si
il ne peut pas s'empêcher
d'avilir d'autres femmes
quand elles ne regardent pas
si la toxicité est au cœur
de son langage
il pouvait vous tenir
sur ses genoux et être
du miel doux
cet homme pouvait vous donner
du sucre à manger et
vous tremper dans de l'eau de rose
mais ça ne pouvait pourtant pas
faire de lui un ange

– si vous voulez savoir quel type d'homme il est

je suis un musée rempli d'œuvres d'art
mais tu avais les yeux fermés

tu as dû t'apercevoir
que tu t'étais trompé
quand tes doigts
se sont aventurés à l'intérieur de moi
cherchant le miel
qui ne coulerait pas pour toi

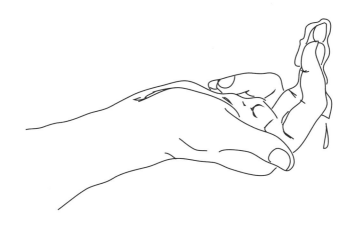

la chose
qui méritait d'être gardée
ne serait pas partie

quand tu es brisée
et qu'il t'a quittée
ne te demande pas
si tu étais
assez
le problème c'est
que tu étais tellement
qu'il n'était pas capable de le porter

chez toi l'amour
a fait ressembler le danger
à de la sécurité

même quand tu la déshabilles
c'est moi que tu cherches
je suis désolée j'ai
si bon goût
quand vous faites l'amour
tous les deux c'est
encore mon nom
qui roule hors de ta
langue par accident

tu les traites comme s'ils
avaient un cœur comme le tien
mais tout le monde ne peut pas avoir
ta douceur et ta tendresse

tu ne vois pas
la personne qu'ils sont
tu vois la personne
qu'ils ont le potentiel d'être

tu donnes et tu donnes
jusqu'à ce qu'ils extirpent tout de toi
et te laissent vide

je devais partir
j'étais fatiguée
de te laisser me donner
le sentiment
d'être toujours moins
que pleine et entière

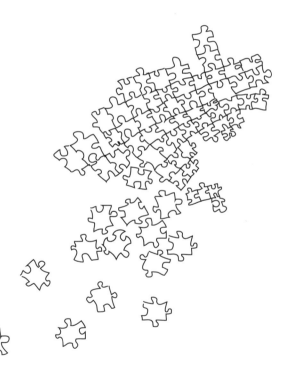

tu étais la chose la plus belle que j'aie jamais
ressentie jusqu'à maintenant. et j'étais convaincue
que tu resterais la chose la plus belle que je
ressentirais jamais. sais-tu à quel point cela est
réducteur. penser à un âge si jeune que j'avais
expérimenté la personne la plus exaltante que j'aie
jamais rencontrée. que j'allais passer le reste de ma
vie à me poser. penser que j'avais goûté le miel le
plus pur et que tout le reste serait traité et artificiel.
que rien ne pourrait être ajouté au-delà de ce point.
que toutes les années devant moi ne pouvaient pas
s'additionner pour être plus douces que toi.

— *mensonge*

je ne sais pas ce que c'est que vivre une vie équilibrée
quand je suis triste
je ne pleure pas je coule à flots
quand je suis heureuse
je ne souris pas je rayonne
quand je suis en colère
je ne hurle pas je brûle

l'avantage de ressentir les extrêmes c'est que
quand j'aime je leur donne des ailes
mais ce n'est peut-être pas
une si bonne chose parce que
ils ont toujours tendance à partir
et vous devriez me voir
quand mon cœur est brisé
je n'ai pas du chagrin
je vole en éclats

j'ai parcouru tout ce chemin
pour te donner toutes ces choses
mais tu ne regardes même pas

la victime
et
le bourreau

– *j'ai été les deux*

je te défais
de ma peau

ce n'était pas toi que j'embrassais
– ne te trompe pas

c'était lui dans mon esprit
tes lèvres étaient juste commodes

ça revient toujours à toi
furoncles
cernes
démangeaisons
tout ramène à toi

j'étais de la musique
mais tu avais les oreilles coupées

ma langue a le goût aigre
de la faim
du manque de toi

je ne te demande pas
de m'intégrer dans ta vie
quand
ce que je veux c'est
construire une vie avec toi

– *la différence*

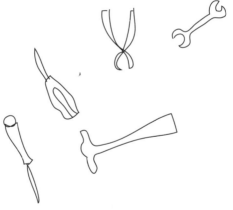

des rivières coulent de ma bouche
des larmes que mes yeux ne peuvent pas porter

tu es peau de serpent
et je continue de me dépouiller de toi en
quelque sorte
mon esprit est en train d'oublier
les moindres détails
de ton visage
me détacher
est devenu oublier
la chose la plus agréable et la plus triste
qui se soit produite

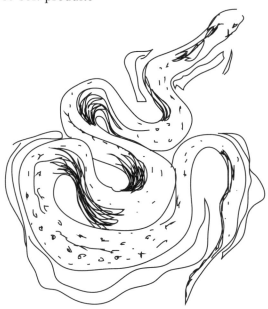

tu n'avais pas tort de partir
tu avais tort de revenir
et de penser
que tu pouvais m'avoir
quand ça t'arrangeait
et partir quand ça te dérangeait

comment puis-je écrire
s'il est parti
avec mes mains

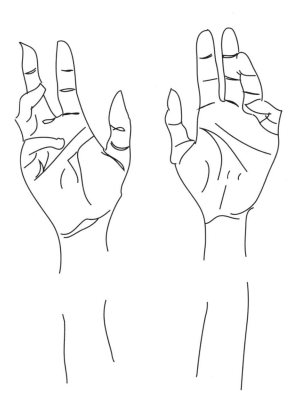

aucun de nous n'est heureux
mais aucun de nous ne veut partir
alors nous continuons de nous briser
et d'appeler cela de l'amour

nous avons commencé
avec honnêteté
laissons-nous terminer
aussi dans l'honnêteté

– *nous*

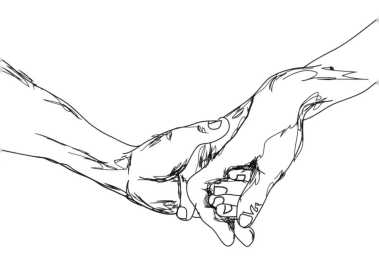

ta voix
suffit
à m'arracher
des larmes

je ne sais pas pourquoi
je me suis fendue en deux
pour les autres
sachant que
me recoudre
fait si mal
après

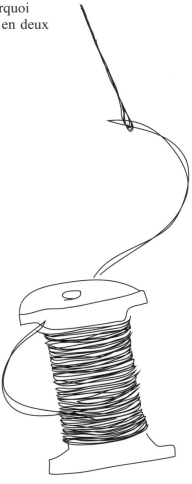

les gens s'en vont
mais la façon
dont ils sont partis
reste

l'amour n'est pas cruel
nous sommes cruels
l'amour n'est pas un jeu
nous avons fait un jeu
de l'amour

comment notre amour peut-il mourir
s'il est écrit
dans ces pages

même après la blessure
la perte
la douleur
la rupture
ton corps reste
le seul sous lequel
je veux être
déshabillée

la nuit après ton départ
je me suis réveillée si brisée
le seul endroit où mettre les morceaux
était les poches sous mes yeux

reste
murmurai-je
lorsque
tu as fermé la porte derrière toi

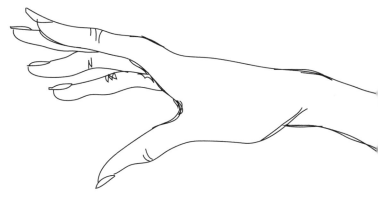

je suis confiante je suis loin de toi. tellement que
certains matins je me réveille avec un sourire et les
mains jointes pour remercier l'univers de t'avoir
arraché à moi. merci dieu je crie. merci dieu que
tu sois parti. je ne serais pas l'empire que je suis
aujourd'hui si tu étais resté.

mais.

certains soirs je me demande ce que je ferais si tu
réapparaissais. si tu entrais dans la chambre à cette
seconde toutes les choses affreuses que tu as faites
seraient jetées par la fenêtre la plus proche et tout
l'amour monterait à nouveau en moi. il entrerait
à flots dans mes yeux comme s'il n'était jamais
vraiment parti. comme s'il s'était exercé à rester
silencieux si longtemps pour n'en être que plus
bruyant à ton arrivée. quelqu'un peut-il expliquer
cela. comment se fait-il que même quand l'amour
part il ne part pas. comment est-ce possible que
même quand je suis si loin de toi je suis si
inexorablement ramenée vers toi.

il ne revient pas
murmurait ma tête
il faut qu'il revienne
sanglotait mon cœur

– *languir*

je ne veux pas qu'on soit amis
je veux tout de toi

— *davantage*

je suis en train de perdre des parties de toi
comme j'ai perdu des cils sans le savoir et partout

tu ne peux pas partir
et m'avoir aussi
je ne peux pas exister
à deux endroits à la fois

– *quand tu me demandes si nous pouvons rester amis*

je suis l'eau

suffisamment douce
pour offrir la vie
suffisamment dure
pour la noyer

ce qui me manque le plus c'est la manière dont tu
m'aimais. mais ce que j'ignorais c'est que la manière
dont tu m'aimais avait beaucoup à voir avec la
personne que j'étais. c'était un reflet de tout ce que
je te donnais. me revenant. comment n'ai-je pas
vu cela. comment. assise là à croire que personne
d'autre ne m'aimerait de cette manière. alors que
c'était moi qui t'avais appris. alors que c'était moi
qui t'avais montré comment remplir. la manière dont
j'avais besoin d'être remplie.
à quel point j'étais cruelle avec moi-même.
t'attribuant le mérite de ma chaleur simplement
parce que tu l'avais sentie. pensant que c'était toi
qui me donnais de la force. de l'esprit. de la beauté.
simplement parce que tu les reconnaissais en moi.
comme si je n'étais déjà pas tout cela avant de te
rencontrer. comme si je ne suis pas restée tout cela
après ton départ.

tu pars
mais tu ne disparais pas
pourquoi fais-tu cela
pourquoi abandonnes-tu
ce que tu veux garder
pourquoi t'attardes-tu
à un endroit où tu ne veux pas rester
pourquoi penses-tu que c'est ok de faire les deux
partir et revenir en même temps

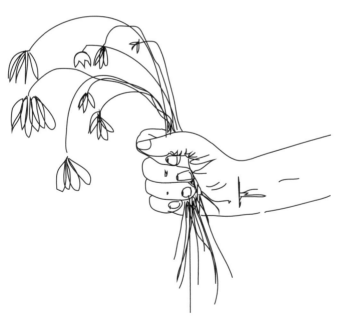

je vais vous parler des égoïstes. même s'ils savent qu'ils vont te faire du mal ils entrent dans ta vie pour te goûter parce que tu es le type de personne qu'ils ne veulent pas rater. tu brilles trop pour ne pas susciter l'envie. alors quand ils ont bien regardé tout ce que tu as à offrir. quand ils ont pris ta peau tes cheveux tes secrets avec eux. quand ils réalisent combien tout cela est réel. quel orage tu es qui les frappe.

c'est là que la lâcheté entre en scène. c'est là que la personne que tu pensais qu'ils étaient est remplacée par la triste réalité de ce qu'il sont. c'est là qu'ils perdent toute combativité et te quittent en disant *tu trouveras mieux que moi.*

tu vas rester là debout nue avec une part d'eux encore cachée quelque part à l'intérieur de toi et sangloter. leur demandant pourquoi ils ont fait cela. pourquoi ils t'ont forcée à les aimer alors qu'ils n'avaient pas l'intention de t'aimer en retour et ils vont dire quelque chose du style *il fallait juste que je fasse l'expérience. que je tente le coup. c'était toi après tout.*

mais ce n'est pas romantique. ce n'est pas chic. l'idée qu'ils étaient si engloutis par ton existence qu'ils devaient prendre le risque de la briser pour le plaisir de savoir qu'elle n'allait pas leur manquer. ton existence signifiait si peu de chose à côté de leur curiosité à ton égard.

c'est ainsi avec les égoïstes. ils jouent des êtres
entiers. des âmes entières pour satisfaire la leur.
à un moment donné ils vous tiennent sur leurs
genoux comme s'ils tenaient le monde entier
et l'instant d'après ils vous ont rabaissée à une
simple image. à un moment. à quelque chose
du passé. à une seconde. ils vous engloutissent
et vous murmurent qu'ils vous veulent auprès
d'eux pour le reste de leur vie. mais à cet instant
ils ont peur. ils ont déjà un pied dehors. sans
avoir le courage de vous laisser partir avec
grâce. comme si le cœur humain signifiait si peu
pour eux.

et après tout ça. après tout ce qu'ils ont pris. quel
culot. n'est-ce pas triste et comique de constater
que de nos jours les gens ont davantage de cran
pour vous déshabiller avec leurs doigts que pour
prendre le téléphone et vous appeler. s'excuser.
pour la perte. et c'est ainsi que tu la perds.

– *égoïste*

liste des choses à faire (après la rupture) :

1. trouver refuge dans ton lit.
2. pleurer. jusqu'à ce que les larmes s'arrêtent (ça va prendre quelques jours).
3. ne pas écouter de slows.
4. supprimer son numéro de ton téléphone même s'il est mémorisé sur le bout de tes doigts.
5. ne pas regarder d'anciennes photos.
6. t'offrir deux boules de glace menthe chocolat. avec des copeaux de chocolat. la menthe va calmer ton cœur tu mérites le chocolat.
7. acheter de nouveaux draps de lit.
8. rassembler tous les cadeaux, tee-shirts et vêtements imprégnés de son odeur et les donner à des associations caritatives.
9. projeter un voyage.
10. perfectionner l'art de sourire et de faire un petit signe de tête entendu quand quelqu'un évoque son nom dans une conversation.
11. commencer un nouveau projet.
12. quoi que tu fasses. n'appelle pas.
13. ne pas supplier de rester ce qui ne veut pas rester.
14. arrêter de pleurer à un moment donné.
15. t'autoriser à te sentir idiote de croire que tu aurais pu construire le reste de ta vie dans le ventre de quelqu'un d'autre.
16. respirer.

la façon
dont ils partent
te dit
tout

guérir

peut-être
que je ne mérite pas
de belles choses
parce que je paie
pour des péchés
dont je ne me souviens pas

le problème avec l'écriture
c'est que je ne peux pas dire
si elle me guérit ou me détruit

ne te donne pas la peine
de t'accrocher à cette chose
qui ne veut pas de toi

– *tu ne peux pas l'obliger à rester*

tu dois commencer une relation
avec toi
avant quiconque

accepte de mériter mieux
qu'un amour douloureux
la vie bouge
la chose la plus saine
pour ton cœur est
de bouger avec elle

ça fait partie
de l'expérience humaine d'éprouver de la
souffrance
n'aie pas peur
ouvre-toi à elle

– *évoluer*

la solitude est le signe que tu as désespérément
　　　　　　　　　　　　　[besoin de toi-même

tu as l'habitude
de codépendre
des autres pour
compenser ce dont
tu crois manquer

qui t'a fait croire
qu'une autre personne
était censée te compléter
alors qu'elle ne peut être au mieux qu'un
complément

ne cherche pas la guérison
aux pieds de ceux
qui t'ont brisée

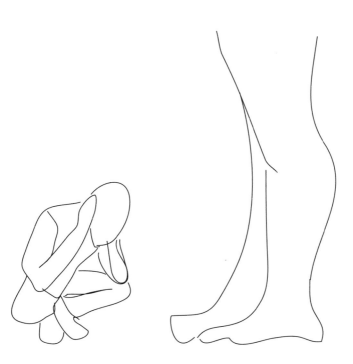

si tu es née avec
la faiblesse de tomber
tu es née avec
la force de te relever

le plus triste de tout
est peut-être ces gens
qui vivent en attendant quelqu'un
dont ils doutent de l'existence

— *7 milliards d'individus*

reste fort(e) pour traverser ta douleur
fais pousser des fleurs dans sa terre
tu m'as aidée à faire pousser des fleurs
dans la mienne alors
fleuris merveilleusement
dangereusement
vigoureusement
fleuris doucement
fleuris surtout car
tu n'as besoin
que de fleurir

– *à vous, lecteur ou lectrice*

je remercie l'univers
de prendre
tout ce qu'il a pris
et de me donner
tout ce qu'il donne

– *équilibre*

il faut de la grâce
pour rester bienveillant
dans des situations cruelles

tombe
amoureuse
de ta solitude

il y a une différence entre
quelqu'un qui te dit
qu'il t'aime
et quelqu'un
qui t'aime vraiment

parfois
les excuses
ne viennent jamais
quand elles sont attendues

et quand elles viennent
elles ne sont plus attendues ni
nécessaires

– *tu es trop en retard*

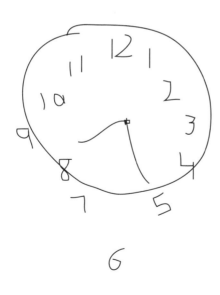

tu me dis
que je ne suis pas comme la plupart des filles
et tu apprends à m'embrasser les yeux fermés
quelque chose à propos de cette expression
quelque chose à propos de cette nécessité de
me différencier des femmes
que j'appelle des sœurs pour être désirée
me donne envie de cracher ta langue
comme si j'étais censée être fière que tu
m'aies choisie
comme si je devais être soulagée de penser
que je suis mieux qu'elles

la prochaine fois qu'il
te fait remarquer que
les poils sur tes jambes
repoussent rappelle
à ce garçon que ton corps
n'est pas sa maison
il est un invité
avertis-le
de ne plus jamais abuser
de ton hospitalité

être
doux
c'est
être
puissant

tu mérites d'être
totalement trouvée
dans ce qui t'entoure
et non perdue dedans

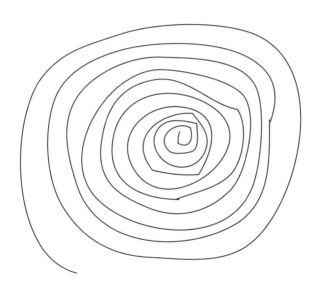

je sais que c'est dur
crois-moi
je sais que tu as l'impression
que demain ne viendra jamais
et qu'aujourd'hui sera
la journée la plus difficile à traverser
mais je te jure que tu la traverseras
la douleur passera
comme elle le fait toujours
si tu lui donnes du temps et
la laisses
être
la laisses
s'en aller
lentement
comme une promesse rompue
la laisses partir

j'aime la façon dont les vergetures
sur mes cuisses ont l'air humaines
et dont nous sommes si doux mais
rudes et sauvages
quand nous avons besoin de l'être
j'aime cela de nous
combien nous sommes capables de ressentir
à quel point nous n'avons pas peur de rompre
et soignons nos blessures avec grâce
juste être une femme
me nommer
femme
me rend totalement complète
pleine et entière

mon problème avec ce qu'ils jugent beau
c'est que leur conception de la beauté
tourne autour de l'exclusion
je trouve les cheveux magnifiques
quand une femme les porte
comme un jardin sur sa peau
c'est la définition de la beauté
de gros nez crochus
tournés vers le ciel
comme s'ils se montraient
à la hauteur de la situation
la peau de la couleur de la terre
que mes ancêtres ont cultivée
pour nourrir une lignée de femmes
avec des cuisses aussi épaisses
que des troncs d'arbres
des yeux en amande
tombant sous le poids des condamnations
les rivières du Pendjab
coulent dans mon sang alors
ne me dites pas que mes femmes
ne sont pas aussi belles
que celles de votre pays

nos dos
racontent des histoires
qu'aucun livre
n'a le courage
de porter

– femmes de couleur

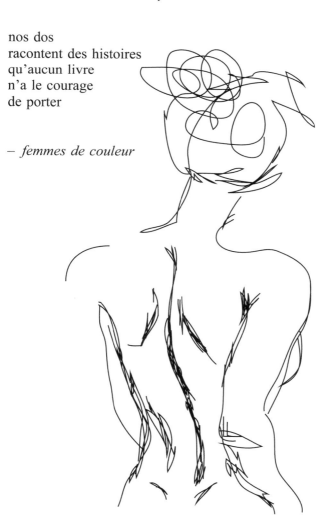

accepte-toi
comme tu as été conçue

ton corps
est un musée
de catastrophes naturelles
peux-tu saisir combien
c'est renversant

te perdre
a été
l'avènement
de moi-même

les corps des autres femmes
ne sont pas nos champs de bataille

tu peux retirer
tous les poils de ton corps
si c'est ce que tu veux
tout comme garder
tous les poils sur ton corps
si c'est ce que tu veux

— *tu n'appartiens qu'à toi-même*

apparemment c'est déplacé de ma part
de parler de mes règles en public
parce que la biologie de mon corps
est trop réelle

c'est plus acceptable de vendre
ce qu'il y a entre les cuisses d'une femme
que de parler de son
fonctionnement intérieur

l'usage divertissant
de ce corps
est jugé beau
alors que sa nature
est jugée laide

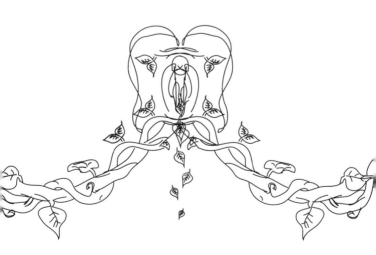

tu étais un dragon bien avant
qu'il vienne et te dise
que tu pouvais fuir

tu resteras un dragon
bien après qu'il sera parti

je veux m'excuser devant toutes les femmes
que j'ai qualifiées de jolies
avant de dire qu'elles étaient intelligentes ou
courageuses
je suis désolée d'avoir donné l'impression que
quelque chose d'aussi simple que ce don de la nature
devait être votre plus grande fierté
alors que votre esprit a abattu des montagnes
désormais je dirai des choses comme
vous êtes résilientes ou vous êtes extraordinaires
non parce que je ne pense pas que vous soyez jolies
mais parce que vous êtes tellement plus que ça

j'ai
ce que j'ai
et je suis heureuse

j'ai perdu
ce que j'ai perdu
et je suis
tout de même heureuse

– *attitude*

tu me regardes et pleures
tout fait mal

je te tiens et murmure
mais tout peut guérir

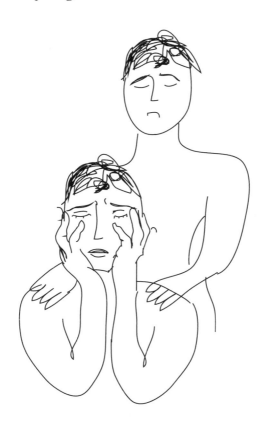

si la douleur vient
le bonheur va venir aussi

– sois patiente

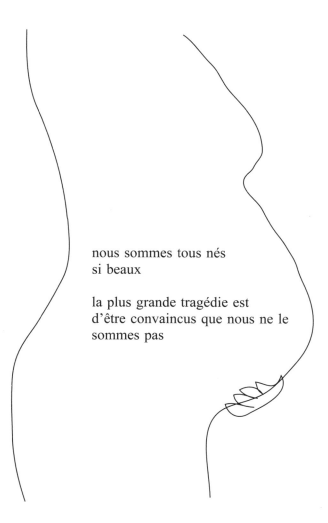

nous sommes tous nés
si beaux

la plus grande tragédie est
d'être convaincus que nous ne le
sommes pas

le nom kaur
fait de moi une femme libre
il ôte les chaînes qui
tentent de m'attacher
il m'élève
pour me rappeler que je suis égale à
n'importe quel homme même si
l'état de ce monde me hurle
que je ne le suis pas
il me rappelle que je suis ma propre femme
et que j'appartiens totalement à moi-même
et à l'univers
il me rend humble
m'appelle en me disant
que j'ai un devoir universel
à partager avec l'humanité
celui de nourrir et de servir
la communauté des femmes
de relever celles qui ont besoin d'être relevées
le nom kaur coule dans mes veines
il était en moi avant que le mot lui-même existe
il est mon identité et ma libération

— *kaur*
une femme sikh

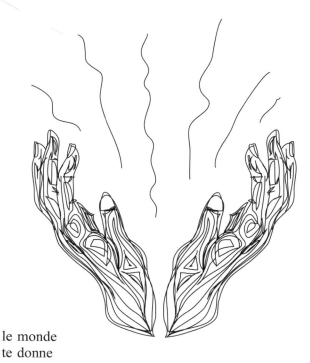

le monde
te donne
tant de souffrance
et là tu en fais de l'or

– *il n'y a rien de plus pur que cela*

la manière dont tu t'aimes est
la manière dont tu apprends aux autres
à t'aimer

mon cœur a envie de sœurs plus que tout
il a terriblement envie de femmes qui aident les
femmes
comme les fleurs ont terriblement envie du printemps

la déesse entre tes cuisses
en fait saliver plus d'un

tu
es ta propre
âme sœur

certains individus
sont si amers

pour eux
tu dois être
le summum de la gentillesse

nous avançons tous quand
nous reconnaissons combien
les femmes autour de nous
sont résilientes et impressionnantes

pour toi voir la beauté là
ne signifie pas
qu'il y a de la beauté en moi
mais signifie qu'il y a de la beauté
enracinée si profondément en toi
que tu ne peux pas t'empêcher
de la voir partout

le poil
s'il n'était pas censé être là
ne commencerait pas
par pousser sur nos corps

– *nous sommes en guerre avec ce qui vient le plus*
naturellement à nous

le plus important
l'amour
comme c'est la seule chose que tu connais
tu sais qu'à la fin de la journée tout cela
ne signifie rien
cette page
là où tu es assise
tes diplômes
ton job
l'argent
rien n'a même d'importance
excepté l'amour et le lien humain
qui tu as aimé
et si tu as aimé profondément
si tu as touché les gens autour de toi
et si tu leur as beaucoup donné

je veux rester si
ancrée au sol
ces larmes
ces mains
ces pieds
s'enfoncent

– *enracinée*

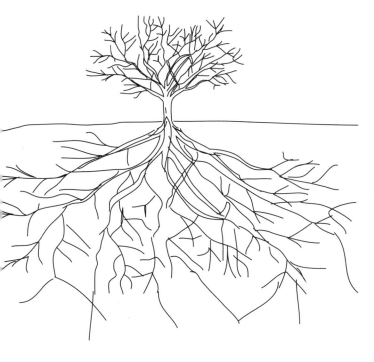

tu dois arrêter de
chercher pourquoi
à un moment donné
tu ne dois plus t'en occuper

si tu n'es pas assez pour toi-même
tu ne seras jamais assez
pour quelqu'un d'autre

tu dois
vouloir passer
le reste de ta vie
avec toi-même
d'abord

bien sûr que je veux réussir
mais je n'ai pas soif de succès pour moi
j'ai besoin de réussir pour gagner
suffisamment de lait et de miel
pour aider les gens autour de moi
à réussir

mon rythme cardiaque s'accélère
à l'idée d'accoucher de poèmes
c'est pourquoi je n'arrêterai jamais
de m'ouvrir pour les concevoir
faire l'amour aux mots
est si érotique
j'ai pour l'écriture
soit de l'amour
soit du désir sexuel
soit les deux

ce qui me terrifie le plus
c'est de nous voir écumer de rage
quand les autres réussissent
mais soupirer de soulagement
quand ils échouent

le mal que nous avons
à nous célébrer les uns les autres
est sans nul doute ce qu'il y a de
plus difficile
dans l'être humain

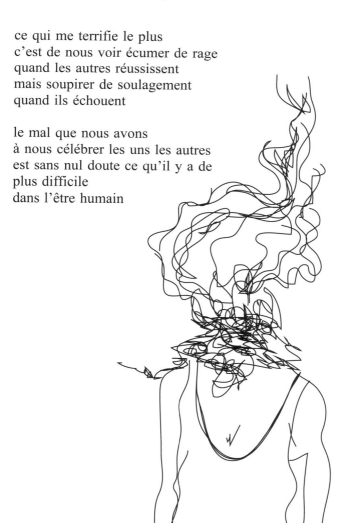

ton art
n'est pas de savoir
le nombre de personnes
qui aiment ton travail
ton art
est de savoir
si ton cœur aime ton travail
si ton âme aime ton travail
si tu es honnête avec toi-même
et tu ne dois jamais
troquer l'honnêteté
pour l'art de plaire

– *à vous tous jeunes poètes*

donne à ceux
qui n'ont rien
à te donner

– *seva (service désintéressé)*

tu m'as fendue en deux
de la façon la plus honnête qui soit
pour fendre une âme en deux
et forcée à écrire
à un moment où j'étais sûre
de ne plus pouvoir me remettre à
écrire

— *merci*

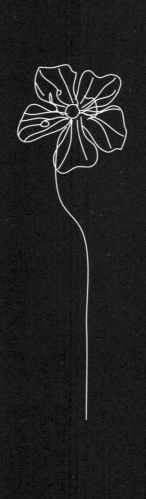

vous êtes arrivé à la fin. avec mon cœur dans vos mains.
merci. d'arriver à bon port. d'être tendre avec la partie la
plus fragile de moi. asseyez-vous. respirez. vous devez être
fatigué. laissez-moi baiser vos mains. vos yeux. ils doivent
vouloir quelque chose de doux. je vous envoie tout mon miel.
je ne serais nulle part et rien si ce n'était pas pour vous. vous
m'avez aidée à devenir la femme que je voulais être. mais
que j'avais trop peur d'être. rendez-vous compte du miracle
que vous êtes. comme c'était merveilleux. et comme ce sera
toujours merveilleux. je m'agenouille devant vous. en vous
disant merci. j'envoie mon amour à vos yeux. qu'ils puissent
toujours voir le bien chez les autres. et que vous puissiez
toujours pratiquer la bienveillance. que nous puissions nous
voir les uns les autres comme un. que nous puissions ni plus
ni moins être amoureux de tout ce que l'univers a à offrir. et
que nous puissions toujours rester ancrés. enracinés. nos pieds
solidement plantés dans la terre.

– *une lettre d'amour de moi à vous*

rupi kaur est poète. artiste. et performeuse. à l'âge de cinq ans sa mère lui a tendu un pinceau et lui a dit : dépeins ton cœur. à l'âge de dix-sept ans, rupi kaur a réalisé sa première performance en lisant un de ses poèmes lors d'une soirée micro ouvert. pendant ses études à l'université de waterloo rupi a écrit. illustré. et autopublié son premier recueil, *lait et miel*. depuis, *lait et miel* est devenu un phénomène international. il s'est vendu à plus de 3 millions d'exemplaires. a été traduit dans plus de 35 langues. et a atterri à la première place du classement des meilleures ventes du *new york times* – où il est resté plus de 100 semaines consécutives.

le second recueil tant attendu de rupi kaur, *le soleil et ses fleurs*, a paru en 2017 et s'est tout de suite placé en tête des meilleures ventes. il s'est vendu à un million d'exemplaires en trois mois et a séduit les lecteurs du monde entier. rupi kaur figure au classement *forbes* des moins de 30 ans et à celui des 100 femmes les plus influentes de la BBC. elle fait partie du comité éditorial de la prestigieuse *mays literary anthology* des universités d'oxford et cambridge.

– à propos de l'écrivain

construit autour de courts poèmes
en prose,
lait et miel parle
de survie.
de l'expérience
de la violence,
des abus sexuels,
de l'amour,
de la perte
et de la féminité.
le recueil comprend quatre chapitres,
et chacun obéit à une motivation différente,
traite une souffrance différente,
guérit une peine différente.
lait et miel convie les lecteurs
à un voyage à travers les moments
les plus amers de l'existence,
mais y trouve de la douceur,
parce qu'il y a de la douceur partout
si l'on sait regarder.

– *à propos du livre*

traductrice depuis près de vingt ans, sabine rolland est passionnée de littérature et, notamment, de poésie – un art qu'elle « déguste » et pratique avec bonheur. baudelaire n'avait pas tort en disant : « tout homme bien portant peut se passer de manger pendant deux jours – de poésie, jamais. » et nous n'avons jamais eu autant besoin de « poétiser » nos vies !

– *à propos de la traductrice*

Composition et mise en pages
Nord Compo à Villeneuve-d'Ascq

Achevé d'imprimer par
La Nouvelle Imprimerie Laballery
Dépôt légal : avril 2019
N° d'impression : 102295
Imprimé en France

S28280/09

Pocket, 92 avenue de France, 75013 Paris